5. Buch für „kurze“Aufklärungsgespräche
zum Bestehen der FSP der ÄK

Leonidas Tifakidis

Alle Aufklärungen dienen zur Orientierung und zum systematischen Lernen, selbstverständlich können Sie Sätze ergänzen, oder anders formulieren.

Ein Beispiel zur Aufklärung:
Ich möchte Sie über die Koloskopie aufklären. Koloskopie bedeutet Spiegelung des Dickdarms.

Ein weiteres Beispiel:
Ich möchte Sie über die ÖGD- Skopie aufklären, ÖGD ist die Abkürzung für Ösophagogastroduodenoskopie, das bedeutet Spiegelung des oberen Verdauungstraktes.

5. Buch für „kurze“ Aufklärungsgespräche
zum Bestehen der FSP der ÄK

Leonidas Tifakidis

Bibliografische Information der Deutschen Nationalbibliothek:
Die Deutsche Nationalbibliothek verzeichnet diese Publikation
in der Deutschen Nationalbibliografie; detaillierte
bibliografische Daten sind im Internet über http://dnb.dnb.de
abrufbar.

Herstellung und Verlag: BoD – Books on Demand, Norderstedt
ISBN: 978-3-7568-0875-5

In einigen Bundesländern sind die Aufklärungsgespräche fester Bestandteil der FSP.
In einigen anderen kommt es von Zeit zu Zeit bzw. von Prüfungsausschuss zu Prüfungsausschuss bzw. von Diagnose zu Diagnose zu einem kurzen Aufklärungsgespräch.
In diesem Fall sollte man der/dem Pat. mit wenigen Sätzen den Verlauf beispielsweise einer Wurmfortsatztentfernung, so erklären, dass es der /die Pat. leicht verstehen kann.
Auch hier geht es nicht um medizinische Kenntnisse, sondern darum fließend Deutsch zu sprechen.
Es ist zwar nicht angenehm, wenn man einen medizinischen Fehler macht, er sollte aber keine große Rolle spielen. Das kann leicht während der FSP passieren, weil der Stress relativ hoch ist.

Die Texte sollten nicht wortwörtlich auswendig gelernt werden, obwohl das kein Problem ist, weil man so immer garantiert und sicher die Aufklärung richtig ausführen wird.

Die Texte sollen als Inspiration gelten. Ich erhebe keinen Anspruch auf Philologie auf höchstem Niveau,
es soll im Niveau B2/C1 sein.

Sicherlich gibt es viel hervorragende Varianten.

Viel Erfolg bei der FSP
Ihr Autor und Dozent
Leo Tifakidis

Bei der ärztliche Aufklärung wird der Pat./die Pat. über die Durchführung, den Umfang, die Schwere der Krankheit, Risiken, Alternativen, Vor-und Nachteile, Komplikationen, allergische Reaktionen, Vor-und Nachbehandlung aufgeklärt.

Inhaltsverzeichnis

Kapitel 1: Redemittel für Aufklärungsgespräche
Kapitel 2 :Aufklärungsgespräche (kurze Version)

1) ÖGD
2) Appendektomie
3) Koloskopie
4) Transösophageale Echokardiografie (TEE)
5) Lumbalpunktion
6) Rektosigmoidoskopie, Kolo-/Ileoskopie mit Polypektomie
7) CT
8) MRT
9) Linksherzkatheter mit Koronarangiographie
10) Sonographie
11) Kolostomie (sehr kurz, Hamburg)

#Kapitel 1: Redemittel für kurze Aufklärungsgespräche

Wie bereits erwähnt, ist das Aufklärungsgespräch nur in einigen Bundesländern ein fester Bestantteil der FSP. Man erwartet aber auch dort nicht, dass man alle Einzelheiten frei Kopf erklärt. Man bekommt ein Blatt mit dem Aufklärung-gespräch, liest es während der Prüfung durch und erklärt dann anhand des Textes den Verlauf.

Bitte lernen Sie die folgenden Redemittel, welche wir bei allen Aufklärungsgesprächen benutzen können um eine gute Infrastruktur zu schaffen.

#1

Ich möchte Sie über A,B,C aufklären.
A: Das medizinische Wort nennen.
(B: Das ist eine Abkürzung für...)
C: Das deutsche Wort verwenden.

Das ist eine moderne, schmerzfreie, diagnostische und (thearpeutische) Maßnahme.

Ein Beispiel:
Ich möchte Sie über die Koloskopie aufklären. Koloskopie bedeutet Spiegelung des Dickdarms.

Ein weiteres Beispiel:
Ich möchte Sie über die ÖGD- Skopie aufklären, ÖGD ist die Abkürzung für Ösophagogastroduodenoskopie, das bedeutet Spiegelung des oberen Verdauungstraktes.

#2
Wie lange?

Bitte lernen Sie folgendes:

Der Eingriff/die Spiegelung/die Untersuchung dauert
in der Regel 30 Minuten.

#3
Durchführung, Vor- und Nachteile und Alternativen nennen.

Merke: Hier kann man das Vokabular vom bereitgestellten
Text ablesen, zumal das dem höchst möglichem Niveau
entspricht und man keine Synonyme braucht. Viele scheitern
an dem Versuch den Text anders, besser, zu präsentieren.
Ein Synonym soll man im Niveau C2 finden und das nur bei
allgemein deutschen Texten.

Bitte lernen Sie folgendes:

Jede Spiegelung/jeder Eingriff/jede OP birgt Gefahren.
Ein chirurgisches Team steht bereit.

#4
Allergische Reaktionen nennen.
(Die allermeisten ähneln sich, d.h., wenn Sie sie einmal
gelernt haben, passen sie zu den meisten Aufklärungsgesprächen.)

#5
Erklärung, was vor der Spiegelung/dem Eingriff/der OP passieren wird.

#6
Erklärung, was nach der Spiegelung/dem Eingriff/der OP passieren wird.

Bitte lernen Sie folgendes:

Nach der Spieglung/dem Eingriff/der OP...
Besser, wenn Sie in Begleitung einer erwachsenen Person kommen, die Sie später nach Hause begleiten kann.

Nach der Spiegelung/dem Eingriff/der OP dürfen Sie nicht aktiv am Verkehr teilnehmen, nutzen Sie die ÖVM/ÖPVM. Sie sind nicht geschäftstüchtig. Sie dürfen nicht reisen oder verreisen.

#7
Wir erklären der/dem Pat., was man bei Verschlechterung nach der Spiegelung/dem Eingriff/der OP machen soll. Wir erklären auch, was für Symptome auftreten können.

#8
Das Ende des Aufklärungsgespräches
Bitte lernen Sie folgendes:
Ich gebe Ihnen eine Kopie mit. Sie können sich alles in Ruhe durchlesen. Insofern Sie zustimmen, müssen Sie sie unterschrieben zurück bringen. Falls Sie nach dem Durchlesen noch Fragen haben, sind wir auch telefonisch erreichbar.

Kapitel 2: Kurze Aufklärungsgespräche

1) ÖGD

Ich möchte Sie über die ÖGD aufklären, das ist eine Abkürzung für Ösophagogastroduodenoskopie und bedeutet auf deutsch: Spiegelung des oberen Verdauungstraktes. **Es ist eine moderne, schmerzfreie, diagnostische und therapeutische Maßnahme.**
Die Spiegelung dauert ca. 30 Minuten. Ihre Ärztin/Ihr Arzt wird Ihnen vorsichtig ein Endoskop (Endoskop ist ein biegsamer Schlauch mit einer Kamera und Werkzeugen an der Spitze) über den Mund in den Magen vorschieben. Dazwischen kann man noch die Speiseröhre und den Magen mit der winzigen Kamera am Endoskop untersuchen. Ein Kaltlicht ermöglicht eine gute Sicht, wir können dann auf dem Monitor alles sehen und falls notwendig auch eingreifen. Mit einer Spiegelung kann man Blutungen, Tumore, Polypen, Geschwüre sehen, zusätzlich kann man eine Biopsie entnehmen und Polypen können sofort abgetragen werden. Daher ergibt sich ein **Vorteil** gegenüber eines Ultraschalls, CT, MRT, oder Röntgen, wo man lediglich sehen, aber nicht eingreifen kann.
Falls etwas Auffällliges zu sehen ist, müssten wir dann noch eine ÖGD durchführen, was zu einer weiteren körperlichen Belastung führen würde.
Jede Spiegelung birgt gefahren. Wir haben aber erfahrene Ärztinnen und Ärzte, die die Spiegelung durchfüren werden. **Ich möchte Ihnen noch die möglichen Risiken und Komplikationen erklären.**

Während der Spiegelung kann es zu Infektionen im Brust- und Bauchbereich, Weichteilverletzungen im Hals, zu Schäden am Gebiss, und Überempfindlichkeitsreaktionen kommen. Falls aber etwas Unerwartetes passieren sollte, steht ein chirurgisches Team bereit.

Vor der Spiegelung sollten Sie nicht mehr essen. Essen und Trinken sind 6 Stunden vor der Spiegelung erlaubt. Wenn Sie Medikamente einnehmen müssen, ist das mit einem Schluck Wasser max. 2 Stunden vor der Spiegelung erlaubt. Bitte entfernen Sie Kontaktlinsen oder herausnehmbaren Zahnersatz sowie Schmuck jeglicher Art im Mundbereich. Informieren Sie die Ärztin/den Arzt, wenn Sie blutverdünnende Medikamte oder Metformin einnehmen.

Nach der Spiegelung sollten Sie für etwas 1 Stunde nicht essen oder Alkohol konsumieren, verzichten Sie auch auf das Rauchen. Falls es nämlich notwendig ist, können weitere Untersuchungen erfolgen.

Falls Sie nach der Spiegelung Fieber, starke Schmerzen, Übelkeit, Blutungen oder Herzkreislaufprobleme bekommen, gehen Sie sofort zu einer Notaufnahme oder kommen Sie zu uns.

Das Beruhigungsmittel ist nach der Spiegelung aktiv, so dass Ihre Reaktionen langsamer sind, **deshalb dürfen Sie nicht aktiv am Verkehr teilnehmen. Nehmen Sie ein Taxi oder nutzen Sie die ÖVM. Besser, wenn Sie in Begleitung einer erwachsenen Person kommen, die Sie nach Hause begleitet. Ich gebe Ihnen eine Kopie mit. Sie können sich alles in Ruhe durchlesen. Insofern Sie zustimmen, müssen Sie sie unterschrieben zurück bringen. Falls Sie nach dem Durchlesen noch Fragen haben, sind wir auch telefonisch erreichbar.**

2) Appendektomie/Wurmfortsatzentfernung

Ich möchte Sie über die Appendektomie aufklären. Die umgangssprchliche Bezeichnung dafür ist die Blinddarmentfernung. Genauer aber gesagt geht es um eine Wurmfortsatzentfernung. (Sie können es dem/der Pat. auf einer Zeichnung zeigen.)
Es gibt einige Möglichkeiten der Operation. Alle werden unter Vollnarkose durchgeführt.
Die erste nennt sich offenne Appendektomie. Die Bauchhöhle wird durch einen Schnitt im rechten Unterbauch eröffnet und der Wurmfortsatz abgetragen, danach durch Nähte verschlossen
Die zweite Möglichkeit nennt sich laparoskopische Appendektomie. Durch einen kleinen Schnitt am Nabelrand wird ein optisches Gerät, genannt Laparoskop, in die Bauchhöhle eingeführt. Es wird Kohlendioxid eingführt, so dass man besser sehen kann. Durch die Kaltlichtquelle und die Vergößerung am Bildschirm lässt sich der Wurmfortsatz leicht erkennen. Es werden noch ein bis zwei kleine Schnitte im Bauchraum notwendig sein um den Wurmfortsatz zu beseitigen. Es sind 0,5 bis max. 1,5 cm kleine Schnitte.
Eine dritte Möglichkeit ist die laparoskopische Singel Port Appendektomie. Sie wird wie die laparoskopische Appendektomie durchgeführt, nur das hier ein einziger ca. 2cm großer Schnitt benötigt wird.
Bei der laparoskopisch assistierten Methode wird der Wurmfortsatz zwar laparoskopisch aufgesucht, jedoch außerhalb der Bauchhöhle abgetragen.

Das neueste Verfahren nennt sich hybrid notes Appendektomie. In diesem Verfahren erfolgt das Abtragen des Wurmfortsatzes transvaginal kombiniert durch einen minimalen Schnitt am Nabelrand. Auch der Darm kann als natürlicher Zugangsweg in Betracht gezogen werden.
Wenn eins von diesen Verfahren für Sie in Betracht gezogen werden kann, werden Sie noch einmal gesondert darüber aufgeklärt.
Der Eingriff dauert i.d.R. 60 Minuten.
Ich möchte Ihnen mögliche Komplikationen nennen.
Trotz aller Sorgfallt unserer erfahrenen Chirurgen und Chirurginnen kann es auch zu lebensbedrohlichen Komplikationen kommen.
Die üblichen Komplikationen aber sind: Allegrische Reaktionen auf Medikamente, Haut,-oder Gewebeschäden, in sehr seltenen Fällen auch zu Blutungen während oder nach der Operation. Benachbarte organe können beschädigt werden. Es kann zu einer Embolie kommen oder zu Wundinfektionen. Der sogenannte Platzbauch kann bei starker Spannung nach dem Eingriff auftreten.
Verwachsungen können auch nach Jahren in der Bauchhöhle auftreten.
Jede OP birgt also Gefahren und einige von Ihnen können zu einer intensivmedizinischen Behandlung führen.
Falls es während der laparoskopischen Appendektomie zu einer unerwarteten Komplikation kommt, wird man zu einer offenen wechseln.
Vor der Operation muss man mindestens 6 Stunden nichts mehr gesgessen oder getrunken haben. Falls Sie blutverdünnende Medikamente oder metforminhaltige

Medikamente einnehmen müssen, ist das mit einem Schluck Wasser, aber max. 3 Stunden und nach Absprache mit Ihrem behandelden Arzt/Ihrer behandelden Ärztin davor erlaubt.
Nach dem Eingriff müssen Sie noch einige Tage im Krankenhaus verweilen. Am Tag nach der Operation kann mit Schonkost nach ärztlicher Anweisung eine erste Mahlzeit eingenommen werden. Ein wenig Wasser ist schon nach 4 bis 5 Stunden nach der Operation erlaubt. In der Regel bleibt man für max. 5 Tage nach der OP im Krankenhaus.
Es können Schmerzen auftreten. Duschen darf man erst nach drei Tagen bzw. die Wunde darf nicht nass werden. Nach ca. 10 Tagen werden die Nähte gezogen. Hier ergibt sich ein weiterer **Vorteil der laparoskopischen Appendektomie,** zumal es einerseits zu einem kürzeren Krankenhausaufenthalt kommt(weniger Infektionsgefahr) und andererseits ist die Genesungsdauer kürzer als bei einer offenen Appendektomie. Nach ca. zwei Wochen ist eine Teilbelastung möglich, Vollbelastung nach 6 Wochen. Am Anfang sollte man zu Hause leichte Kost zu sich nehmen.
Beruhigungsmittel/Narkosen und Betäubungen halten auch Stunden nach einem Eingriff an, deshalb dürfen Sie nicht aktiv am Verkehr teilnehmen. Nehmen Sie ein Taxi oder nutzen Sie die ÖVM. Besser, wenn Sie in Begleitung einer erwachsenen Person kommen, die Sie begleitet.
Falls Sie nach der Spiegelung Fieber, starke Schmerzen, Übelkeit, Blutungen oder Herzkreislaufprobleme bekommen, gehen Sie sofort zu einer Notaufnahme oder kommen Sie zu uns.
Ich gebe Ihnen eine Kopie mit. Sie können sich alles in Ruhe durchlesen. Insofern Sie zustimmen, müssen Sie sie unterschrieben zurück bringen.

Falls Sie nach dem Durchlesen noch Fragen haben, sind wir auch telefonisch erreichbar.

3) Koloskopie=Spiegelung des Dickdarms

Ich möchte Sie über die Koloskopie aufklären. Koloskopie bedeutet Spiegelung des Dickdarms. **Es ist eine moderne, diagnostische und therapeutische Maßnahme. Sie kann als unangenehm empfunden werden. Unter Umständen kann es bei der Abtragung von Polypen zu Schmerzen kommen. Die Spiegelung dauert ca. 30 Minuten.** Ihre Ärztin/Ihr Arzt wird Ihnen vorsichtig ein Endoskop (Endoskop ist ein biegsamer Schlauch mit einer Kamera und Werkzeugen an der Spitze) in Linksseitenlage mittels eines Gleitmittels vorsichtig in den After einführen und dann behutsam in den Darm vorschieben. Auf Wunsch kann die Ärztin/der Ärzt Ihnen ein leichtes Beruhigungsmittel geben. Zur besseren Sicht kann Luft eingeführt werden. Ein Kaltlicht ermöglicht eine gute Sicht, wir können dann auf dem Monitor alles sehen und falls notwendig auch eingreifen. Mit einer Spiegelung kann man Blutungen, Tumore, Polypen, Geschwüre sehen, zusätzlich kann man eine Biopsie entnehmen und Polypen können sofort abgetragen werden.
Daher ergibt sich ein **Vorteil** gegenüber virtuellen Koloskopien mittels CT-, MRT- Kolographie. Die CT-Kolographie ist ein Röntgenverfahren, wobei es zu einer Röntgenbelastung kommt. Die Untersuchung kann schmerzhaft sein, weil Luft in den Bauch gepumpt wird, zudem können nicht alle Arten von Polypen gesehen werden.

Zudem kann es zu einer allergischen Reaktion wegen des Kontrastmittels kommen.
Die Kostenübernahme ist bei gesetzlich ersicherten nicht immer möglich. Bei allen Verfahren inkl. der Kapselendoskopie, wobei eine Kasel geschluckt wird und den gesamten Magen Darm Trakt durchläuft, kann man lediglich sehen, aber nicht eingreifen kann.
Falls etwas Auffällliges zu sehen ist, müssten wir dann noch eine Koloskopie durchführen, was zu einer weiteren körperlichen Belastung führen würde.
Jede Spiegelung birgt gefahren. Wir haben aber erfahrene Ärztinnen und Ärzte, die die Spiegelung durchfüren werden.
Ich möchte Ihnen noch die möglichen Risiken und Komplikationen erklären.
Während der Spiegelung kann es zu Infektionen im Brust- und Bauchbereich, Weichteilverletzungen und Überempfindlichkeitsreaktionen kommen.
Falls aber etwas Unerwartetes passieren sollte, steht ein chirurgisches Team bereit.
Vor der Spiegelung sollte der Darm vollständig entleert sein. Für mindestens 4 Tage vor der Koloskopie darf keine körnerhaltige Nahrung aufgenomen werden, einige Tage vor dem Eingriff darf nur klare Nahrung, das heißt Suppen ohne Beilagen gegessen werden. Am Tag der Darmspiegelung bekommen Sie ein Abführmittel.
Informieren Sie die Ärztin/den Arzt, wenn Sie blutverdünnende Medikamte oder Metformin einnehmen.
Nach der Spiegelung können Sie nach 8 bis 10 Stunden wieder essen und Wasser trinken.

Falls Sie nach der Spiegelung Fieber, starke Schmerzen, Übelkeit, Blutungen aus dem After oder Herzkreislaufprobleme bekommen, gehen Sie sofort zu einer Notaufnahme oder kommen Sie zu uns.
Das Beruhigungsmittel ist nach der Spiegelung aktiv, so dass Ihre Reaktionen langsamer sind, **deshalb dürfen Sie nicht aktiv am Verkehr teilnehmen. Nehmen Sie ein Taxi oder nutzen Sie die ÖVM. Besser, wenn Sie in Begleitung einer erwachsenen Person kommen, die Sie nach Hause begleitet. Ich gebe Ihnen eine Kopie mit. Sie können sich alles in Ruhe durchlesen. Insofern Sie zustimmen, müssen Sie sie unterschrieben zurück bringen. Falls Sie nach dem Durchlesen noch Fragen haben, sind wir auch telefonisch erreichbar.**

Allgemeine Hinweise:
Nach dem 50. Lebensjahr treten bei Männer mehr als bei Frauen Krebserkrankungen im Dickdarm auf. Vorstadien dafür sind Polypen. Wenn diese frühzeitig entfernt werden und bei wiederholten Untersuchungen kann die Krankheit eingedämt werden.
Bei CED, Meläna, Diarrhöen, Obstipationen, über eine längere Zeit andauerndes Druckgefühl bzw. Schmerzen im Bauch sollte eine Koloskopie durchgeführt werden.
Private Krankenkassen übernehmen fast immer die Kosten. Holen Sie sich trotzdem einen Kostenvoranschlag ein.
Wenn der behandelnde Arzt/die behandelnde Ärztin zu einer Darmspiegelung überweist, übernehmen alle Kassen die Kosten. Die gesetzlichen Krankenkassen bezahlen die Vorsorgeuntersuchung ab dem 55 Lebensjahr.

4) Transösophageale Echokardiografie (TEE)=
Ultraschalluntersuchung des Herzens über die Speiseröhre
„Schluckecho“

Ich möchte Sie über die TEE aufklären. TEE ist die Abkürzung für Transösophageale Echokardiografie; auf deutsch bedeutet das: Ultraschalluntersuchung des Herzens über die Speiseröhre.
Es ist eine moderne, schmerzfreie, diagnostische und therapeutische Maßnahme. Sie kann als unangenehm empfunden werden.
Die Untersuchung dauert ca. 30 Minuten. Sie bekommen einen venösen Zugang und Ihre Rachen wird mit einem Spray betäubt. Ihre Ärztin/Ihr Arzt wird Ihnen vorsichtig ein Endoskop mit einem Ultraschallkopf an dessen Ende durch den Mund in die Speiseröhre bis kurz vor den Mageneingang direkt neben dem Herzen vorschieben. (Ein Endoskop ist ein biegsamer Schlauch). Während das Endoskop gedreht wird können Bilder vom Herzen und der Hauptschlagader gemacht werden, die später ausgewertet werden. Oft wird Kontrast-mittel eingespritzt, so dass die Herzklappen selbst, Auflager-ungen auf den Herzklappen, der Blutfluss und Veränderungen an den Herzscheidewänden und nicht zuletzt Blutklumpen sichtbar werden.
Der Vorteil gegenüber einer Herz-Ultraschalluntersuchung liegt in der Störungsfreiheit und Präzision des Schluckechos.
Jede Spiegelung birgt gefahren. Wir haben aber erfahrene Ärztinnen und Ärzte, die die Spiegelung durchfüren werden.
Ich möchte Ihnen noch die möglichen Risiken und Komplikationen erklären.

Während der Spiegelung kann es zu Herzrythmusstörungen, Weichteilverletzungen im Rachen, zu Schäden am Gebiss, und Überempfindlichkeitsreaktionen kommen.
Falls aber etwas Unerwartetes passieren sollte, steht ein chirurgisches Team bereit.
Vor der Untersuchung sollten Sie nicht mehr essen. Essen und Trinken sind 6 Stunden vor der Spiegelung erlaubt. Wenn Sie Medikamente einnehmen müssen, ist das mit einem Schluck Wasser max. 2 Stunden vor der Spiegelung erlaubt. Bitte entfernen Sie Kontaktlinsen oder herausnehmbaren Zahnersatz sowie Schmuck jeglicher Art im Mundbereich. Informieren Sie die Ärztin/den Arzt, wenn Sie blutverdünnende Medikamte oder Metformin einnehmen.
Nach der Untersuchung sollten Sie für etwas 1 Stunde nicht essen oder Alkohol konsumieren, verzichten Sie auch auf das Rauchen. Falls es nämlich notwendig ist, können weitere Untersuchungen erfolgen.
Falls Sie nach der Untersuchung Fieber, starke Schmerzen, Übelkeit, Blutungen oder Herzkreislaufprobleme bekommen, gehen Sie sofort zu einer Notaufnahme oder kommen Sie zu uns.
Das Beruhigungsmittel ist nach der Untersuchung aktiv, so dass Ihre Reaktionen langsamer sind, **deshalb dürfen Sie nicht aktiv am Verkehr teilnehmen. Nehmen Sie ein Taxi oder nutzen Sie die ÖVM. Besser, wenn Sie in Begleitung einer erwachsenen Person kommen, die Sie nach Hause begleitet.**
Ich gebe Ihnen eine Kopie mit. Sie können sich alles in Ruhe durchlesen. Insofern Sie zustimmen, müssen Sie sie unterschrieben zurück bringen. Falls Sie nach dem Durchlesen noch Fragen haben, sind wir auch telefonisch erreichbar.

5) Lumbalpunktion=Entnahme von Nervenwasser

Ich möchte Sie über die Lumbalpunktion, d. h. die Entnahme von Nervenwasser aus dem Wirbelkanal aufklären. Dies ist eine moderne, schmerzfreie, diagnostische Maßnahme. Es ist manchmal nötig für bestimmte Krankheiten bei akuten und chronischen Erkrankungen Liquor bzw. Nervenwasser zu entnehmen,
Für den Ärzt/die Ärztin stellt so eine Entnahme von Nervenwasser einen ärztlichen Routineeingriff dar. Der Eingriff findet im Liegen auf Linksseitenlage oder im Sitzen in gebückter Haltung statt. Bevor die Hohlnadel zwischen zwei Wirbeln eingeführt wird, wird die Einstichstelle vorher desinfiziert oder auch örtlich betäubt, so dass Sie keine Schmerzen spüren werden. Auch das weitere Einführen der Punktionsnadel ist weitgehend schmerzfrei. Wenn es für Sie in Betracht kommt, wird eine gewebeschonenede Nadel benutzt, so verinngern sich die häufig auftretenden Kopfschmerzen nach der Punktion. Normalerweise wird nur eine geringe Menge Nervenwasser entnommen. Nach der Punktion wird die Stichstelle mit einem Tupfer abgedrückt und mit einem Pflaster versorgt.
Eine Lumbalpunktion hat sehr selten Komplikationen, es kann aber zu Nebenwirkungen kommen wie: Rückenschmerzen, Kopfschmerzen, Lichtempfindlichkeit, Brechreiz oder Übelkeit. Es kann auch zu einer Verletzung von kleinen Blutgefäßen, doppeltes Sehen, Gefühlsstörungen kommen. Sehr selten kommt es zu einer Hirnhautentzündung. Bei allergischen Reaktionen oder Unverträglichkeiten auf Medikamente oder Materialien können für eine kurze Zeit Juckreiz, Hautausschlag, Niesen vorkommen.

6) Rektosigmoidoskopie, Kolo-/Ileoskopie= Mast- und/oder Dickdarmspiegelung

Ich möchte Sie über die Rektosigmoidoskopie, Koloskopie bzw. Ileoskopie aufklären. Rektosigmoidoskopie bedeutet Spiegelung des Mastdarms und des s-förmigen Dickdarms. Koloskopie bedeutet Spiegelung des gesamten Dickdarms. Illeoskopie bedeutet Spiegelung des Endabschnittes des Dünndarms.
Es ist eine moderne, diagnostische und thearpeutische Maßnahme. Allerdings ist sie nicht immer schmerzfrei, weshalb Sie i.d.R. ein Schmerzmittel oder ein Beruhigungsmittel bekommen. Auf Wunsch kann die Spiegelung auch unter Kurznarkose statt finden.
Die Untersuchung dauert ca. 20-30 Minuten, etwas länger, falls Polypen abgetragen werden müssen.
Ihre Ärztin/Ihr Arzt wird Ihnen vorsichtig ein Endoskop (Endoskop ist ein biegsamer Schlauch mit einer Kamera und Werkzeugen an der Spitze) in Linksseitenlage mittels eines Gleitmittels vorsichtig in den After einführen und dann behutsam vorschieben. Zur besseren Sicht kann Luft eingeführt werden. Ein Kaltlicht ermöglicht eine gute Sicht, wir können dann auf dem Monitor alles sehen und falls notwendig auch eingreifen. In manchen Fällen wird auch ein Farbstoff eingespüht um alles noch besser erkennen zu können. Mit einer Spiegelung kann man Blutungen, Tumore, Polypen, Geschwüre sehen, zusätzlich kann man eine Biopsie entnehmen und Polypen können sofort abgetragen werden. Falls nur der Enddarm untersucht werden soll, kann auch ein starres Endoskop verwendet werden.

Es kann auch vorkommen, dass man die Lage des Endoskops mit Röntgenbildern kontrollieren muss.
In diesem Fall wird man Ihre Vitalparameter während der gesamten Maßnahme kontrollieren. Vitalparameter sind: Blutdruck, Puls und Sauerstoffsättigung. Manchmal wird auch ein EKG geschrieben.
Daher ergibt sich ein **Vorteil** gegenüber virtuellen Koloskopien mittels CT-, MRT- Kolographie. Die CT-Kolographie ist ein Röntgenverfahren, wobei es zu einer Röntgenbelastung kommt. Die Untersuchung kann schmerzhaft sein, weil Luft in den Bauch gepumpt wird, zudem können nicht alle Arten von Polypen gesehen werden.
Jede Spiegelung birgt gefahren. Wir haben aber erfahrene Ärztinnen und Ärzte, die die Spiegelung durchfüren werden.
Ich möchte Ihnen noch die möglichen Risiken und Komplikationen erklären.
Während der Spiegelung kann es zu einem Durchbruch der Darmwand, Verletzungen benachbarter Organe, des Schließmuskels, oder zu starken Blutungen kommen.
Ferner kann es zu Infektionen, Haut-Gewebe-Nervenschäden sowie Überempfindlichkeitsreaktionen kommen.
Falls aber etwas Unerwartetes passieren sollte, steht ein chirurgisches Team bereit.
Vor der Spiegelung sollte der Darm vollständig entleert sein. Für mindestens 4 Tage vor der Maßnahme darf keine körnerhaltige Nahrung aufgenomen werden, einige Tage vor dem Eingriff darf nur klare Nahrung, das heißt Suppen ohne Beilagen gegessen werden. Am Tag der Darmspiegelung bekommen Sie ein Abführmittel.
Informieren Sie die Ärztin/den Arzt, wenn Sie blutverdünnende Medikamte oder Metformin einnehmen.

Nach der Spiegelung können Sie nach 8 bis 10 Stunden wieder essen und Wasser trinken.
Falls Sie nach der Spiegelung Fieber, starke Schmerzen, Übelkeit, Blutungen aus dem After oder Herzkreislauf-probleme bekommen, gehen Sie sofort zu einer Notaufnahme oder kommen Sie zu uns.
Das Beruhigungsmittel ist nach der Spiegelung aktiv, so dass Ihre Reaktionen langsamer sind, **deshalb dürfen Sie nicht aktiv am Verkehr teilnehmen. Nehmen Sie ein Taxi oder nutzen Sie die ÖVM. Besser, wenn Sie in Begleitung einer erwachsenen Person kommen, die Sie nach Hause begleitet. Ich gebe Ihnen eine Kopie mit. Sie können sich alles in Ruhe durchlesen. Insofern Sie zustimmen, müssen Sie sie unterschrieben zurück bringen. Falls Sie nach dem Durchlesen noch Fragen haben, sind wir auch telefonisch erreichbar.**

Hinweis vom Autor: Wie bereits am Anfang erklärt, geht es in diesem Buch nicht um eine möglichst detaillierte Aufklärung mit Pluralität an Vokabeln, sondern lediglich um das Bestehen der FSP. Man sollte sich demnach an ein bestimmtes Schema halten.

7) CT=Computertomographie=Querschnitttomographie= Schnittbildverfahren

Ich möchte Sie über die CT aufklären. CT ist die Abkürzung für Computertomographie. Auf deutsch heißt das Querschnitttomographie oder Schnittbildverfahren. Es ist eine spezielle 3-D(imensionale) Röntgenuntersuchung. Es ist eine moderne, schmerzfrei diagnostische Maßnahme.
Sie dauert in der Regel bis 20 Minuten.
Sie werden in eine zylindrische Röhre geschoben. Ähnlich wie bei einem Röntgenbild sind Sie einer Strahlung ausgesetzt. Sie werden aus allen Richtungen durchleuchtet, so dass wir am Ende Querschnittsbilder erhalten.
Sie müssen ruhig auf dem Rücken liegen. Sie können die Untersuchung jederzeit abbrechen.
(In Ihrem Fall bekommen Sie kein Kontrastmittel.)
(Man wählt die CT, weil knöcherne Strukturen so besser abgebildet werden können.) Bitte tragen Sie Kleidung, die leicht abgelegt werden kann. Metallteile, Knöpfe, Schmuck jeder Art sollten an dem zu untersuchendem Korperteil abgelegt werden, weil es zu Verfremdungen im CT Bild kommen kann,
(Falls Sie schwanger sind, darf keine CT (nur in Ausnahmefällen) durgeführt werden)
2-3 Stunden vor der CT-Untersuchung sollte man nicht mehr essen, trinken, oder rauchen, weil manchmal eine Kontrastmittel-Gabe notwendig ist. In sehr seltenen Fällen reagiert der Körper allergisch auf das Kontrastmittel mit Hautausschlag, Juckreiz, Übelkeit, Erbrechen in manchen Fällen auch Luftnot. Normaleweise klingen diese Symptome nach kurzer Zeit ab.

8) MRT=Magnetresonanztomographie

Ich möchte Sie über die MRT aufklären. MRT bedeutet Magnetresonanztomographie, auch Kernspintomographie genannt.
Das ist eine moderne, schmerzfreie diagnostische Maßnahme.
In der Regel dauert die Untersuchuung 20 Minuten.
Sie werden in eine zylindrische Röhre geschoben. Bleiben Sie ruhig auf dem Rücken liegen. Die Maschine wird ein wenig laut sein, erschrecken Sie nicht. Falls Sie Angst bekommen, wozu es keinen Grund geben wird, können Sie die Untersuchung jederzeit abbrechen.
Sie sind keinerlei Strahlung ausgesetzt. Elektromagnetische Wellen zeichnen sehr detaillierte Querschnittsbilder aus allen Ebenen auf. Diese 3D Bilder ermöglichen uns einen besseren Einblick aus allen Richtungen.
Bei der MRT sind Sie keinerlei Strahlung ausgesetzt und es eignet sich besser für Weichteilgewebedarstellungen.
MRT werden nicht durchgeführt bei alten Herzschrittmachern, Insulinpumpen und jede Art von Metall im Körper. Bitte tragen Sie Kleidung, die leicht abgelegt werden kann. Metallteile, Knöpfe, Schmuck jeder Art sollten an dem zu untersuchendem Korperteil abgelegt werden, weil es zu Verfremdungen im MRT-Bild kommen kann,
2-3 Stunden vor der MRT-Untersuchung sollte man nicht mehr essen, trinken, oder rauchen, weil manchmal eine Kontrastmittel-Gabe notwendig ist. In sehr seltenen Fällen reagiert der Körper allergisch auf das Kontrastmittel mit Hautausschlag, Juckreiz, Übelkeit, Erbrechen in manchen Fällen auch Luftnot. Normaleweise klingen diese Symptome nach kurzer Zeit ab.
(Bei AngstpatientInnnen gibt es offene CT/MRT)

9) Linksherzkatheter= Untersuchung des linken Herzens und Koronarangiographie=Untersuchung der Herzkranzgefäße beide mittels Katheter (ein dünner Schlauch)
   I) mit Ballondilatation=Koronarangioplastie

Ich möchte Sie über den Linksherzkatheter und die Koronarangiographie aufklären.
Auf deutsch bedeutet das: Katheteruntersuchung des linken Herzens und der Herzkranzgefäße.
Es ist eine moderne, schmerzfrei, diagnostische und therapeutische Maßnahme.
Die Untersuchung dauert ca. 20 bis 30 Minuten.
Zu Beginn der Untersuchung bekommen Sie ein blutverdünnendes Medikament. Man wird entweder das Handgelenk, den Ellenbogen, die Leiste, oder den Unterarm lokal betäuben, so dass durch den vorher erfolgten kleinen Schnitt in die Haut, der Katheter durch die große Schlagader bis ins linke Herz bzw. zu den Herzkranzgefäßen vorsichtig vorgeschoben werden kann. Es wird Kontrastmittel eingespritzt und mittels Röntgen wird der Vorgang beobachtet. So kann der Blutfluss und Herzklappenfunktion beurteilt werden. An der Spitze des Katheters gibt es eine Kamera, die alles aufzeichnet, so dass auch nach der Untersuchung alles beurteilt werden kann. Zusätzlich können auch Gewebeproben entnommen werden. Falls keine weitere therapeutische Maßnahme erforderlich ist, wird der Katheter herausgezogen.

I) Ballondilatation, **P**erkutane, **T**ransluminale, **C**oronar, **A**ngioplastie (PTCA)

Falls eine oder mehrere Verengungen der Herzkranzgefäße festgestellt wird muss über eine Bypassoperation oder PTCA entschieden werden.
Bei der PTCA wir ein Ballon bis zur Engstelle vorgeschoben und mit verdünntem Kontrastmittel ausgedehnt. Trotz des Ballons verengen sich oft die Herzkranzgefäße wieder, deshalb wir ein Stent implantiert.

II) Der Stent ist eine gitternetzähnliche Prothese.
Der Stent wird zusammen mit dem Ballon in die Engstelle vorgeschoben und zusammen mit dem Ballon ausgedehnt.
Der Stent entfaltet sich und bildet eine sichere Stütze.

Jede Spiegelung bzw. jeder Eingriff birgt Gefahren, obwohl die allermeisten komplikationslos verlaufen. Ich möchte Ihnen Gefahren und allergische Reaktionen erläutern. In jedem Fall aber steht ein chirurgisches Team bereit, in dem unwahrscheinlichen Fall, dass etwas nicht wie geplant verläuft. Bei aller Sorgfalt kann es zu folgenden Komplikationen und schweren Verläufen kommen. Je schwerer die Operaton ist desto leichter kann es bei Komlikationen zu einem künstlichen Koma kommen, oder es werden andere Maßnahmen erforderlich, wie beispielsweise, das Einlegen von Kathetern oder legen von Drainagen. Es kann auch zu einer Nachoperation kommen.
Überempfindlichkeitsreaktionen, die sich mit Juckreiz, Hautrötungen äußern können kommen vor. Bei Pat., die metforminhaltige Medikamente oder bei Pat., die Nierenerkrankungen haben kann es bei der Kontrastmittelgabe zu einer Verschlechterung der Nierenfunktion kommen oder gar zu einem Nierenversagen.

Dadurch, dass Sie für eine gewisse Zeit auf dem OP-Tisch liegen werden, kann es zu Lagerungskomplikationen kommen. Es besteht des Weiteren die Gefahr einer Herzrythmusstörung, ein Blutungsrisiko, die Gefahr eines Gefäßdurchbruchs, es können Thrombosen entstehen und zu einer Embolie kommen. Nach dem Eingriff kann es zu Schwellungen, Fisteln, Wundinfektionen, Durchblutungsstörungen und /oder zu Nachblutungen kommen.
Auch bei dem Ballon mit Stenteinlage kann es zu einer Angina Pectoris, das bedeutet, zu einem Herzengegefühl kommen. Es können Infektionen auftreten oder ein Herzkranzgefäß verschließt sich wieder. Manchmal kann es zu einer sogenannten Stentverschleppung kommen, wobei sich ein Stent vom Katheter löst und sich an einer anderen Stelle entfaltet, so dass es zu einem Herzinfarkt kommt und es muss eine notfallmäßige Bypassoperation stattfinden.
Vor der Untersuchung dürfen Sie 6 Stunden zuvor nicht mehr essen oder trinken. Medikamente dürfen Sie mit einem Schluck Wasser zu sich nehmen. Falls Sie metforminhaltige Medikamente oder blutverdünnende Medikamente einnehmen, sollten Sie die Ärztin/den Ärzt darüber informieren.
Nach der Untersuchung sollten Sie noch 5 Stunden im Krankenhaus bleiben. An der Einstichstelle wird ein Druckverband angelegt. Trinken Sie ausreichend Wasser, so dass es zu einer schnelleren Ausschwemmung des Kontrastmittels kommt. Bis zu einer Woche nach der Untersuchung sollten Sie starke körperliche Aktivitäten vermeiden.
Sie dürfen nach der Untersuchung nicht aktiv am Verkehr teilnehmen. Nehmen Sie ein Taxi oder nutzen Sie die ÖVM.

Besser, wenn Sie in Begleitung einer erwachsenen Person kommen, die Sie nach Hause begleitet.
Falls Sie nach der Spiegelung Fieber, starke Schmerzen, Übelkeit, Blutungen oder Herzkreislaufprobleme bekommen, gehen Sie sofort zu einer Notaufnahme oder kommen Sie zu uns.
Ich gebe Ihnen eine Kopie mit. Sie können sich alles in Ruhe durchlesen. Insofern Sie zustimmen, müssen Sie sie unterschrieben zurück bringen. Falls Sie nach dem Durchlesen noch Fragen haben, sind wir auch telefonisch erreichbar.

10) Sonographie=Ultraschall

I) Abdomen-Sonographie

Ich möchte Sie über die Abdomen-Sonographie aufklären. Abd.-Sono bedeutet Ultraschalluntersuchung des Bauches. Es ist eine moderne, schmerzfreie, diagnostische Maßnahme. Sie sind keiner Strahlung ausgesetzt. Sie dauert i.d.R. 5 bis 15 Minuten. Sie müssen Ihren Oberkörper frei machen, entfernen Sie auf jeglichen Schmuck in der Bauchregion. Danach trägt der Ärzt/die Ärztin ein Kontakgel auf Ihren Bauch auf. Es kann ein wenig kalt sein. Danach wird der Ärzt/die Ärztin mit einem Schallkopf langsam mit ein wenig Druck über Ihren Bauch gleiten, so dass alle inneren Organe des Bauches mittels Ultraschall sichtbar werden. Sie werden keine Betäubung bekommen und können auf Wunsch das Geschehen in Echtzeit auf dem Monitor verfolgen. Generell sollte man vor der Untersuchung nüchtern bleiben. Essen und trinken Sie bitte nichts 8 Stunden vor der Untersuchung, speziell wenn es um eine Oberbauchuntersuchung der Gallenblase geht. Bei Untersuchungen der Nieren oder der ableitenden Harnwege sollte die Harnblase gefüllt sein. Ihre Medikamente dürfen Sie mit einem Schluck Wasser nehmen. Nach der Untersuchung können Sie ohne Weiteres nach Hause gehen.
###

Bitte behalten Sie im Hinterkopf, dass diese Aufklärungen lediglich für die FSP sind.

Zusätzlich:

Die Ultraschallwellen sind für den Menschen nicht hörbar. Über einen Schallkopf eingestrahlte Ultraschallwellen werden von den verschiedenen Körperorganen reflektiert. Diese von den Körperorganen reflektierten Wellen, werden von dem Schallkopf wieder aufgenommen, verstärkt und auf einem Monitor angezeigt.

Vorteile:

Keine Strahlenbelastung
In kurzer Zeit durchführbar
Echtzeitbilder
Bei Doppler Flüssigkeitsströmungen sichtbar
Alle möglichen Ebenen sind einsehbar

Nachteile:

Bei adipösen Pat. nur beschränkt einsetzbar, die Schallwellen werden absorbiert.
MRT und CT haben eine höhere Auflösung
Luft oder Knochen schränken die Sicht ein.

II) Thyreoidsonographie=Schilddrüsenultraschall-
untersuchung

Ich möchte Sie über die Thyreoidsonographie aufklären. Thyreoidsonographie bedeutet Ultraschalluntersuchung der Schilddrüse.
Es ist eine moderne, schmerzfreie, diagnostische Maßnahme. Sie sind keiner Strahlung ausgesetzt.
Sie dauert i.d.R. 25 Minuten.
Die Untersuchung wird im Liegen durchgeführt, dafür müssen Sie lediglich den Oberkörper frei machen.
Der Arzt/die Ärztin gleitet mit dem Ultraschallkopf über den Hals, nachdem sie/er ein Kontaktgel aufgetragen hat. Das erzeugte Bild zeigt die Größe, Form und Struktur der Schilddrüse. Auch die Lymphknoten werden untersucht. Sie können ganz normal essen und trinken und Ihre Medikamente einnehmen.

III) Herz-Sonographie= Herz-Ultraschalluntersuchung

Ich möchte Sie über die Herz-Sonographie aufklären. Herz-Sonographie, auch Echokardiografie, genannt bedeutet Ultraschalluntersuchung des Herzens. Es ist eine moderne, schmerzfreie, diagnostische Maßnahme. Sie sind keiner Strahlung ausgesetzt.
Sie dauert i.d.R. 25 Minuten.
Für die Untersuchung werden Sie Ihren Oberkörper frei machen und in einer Seitenlage bleiben. Wenn es Ihnen unangenehm ist, kann die Untersuchung auch in Rückenlage durchgeführt werden.
Der Arzt/die Ärztin hält den Ultraschallkopf über Ihrem Herzen, nachdem sie/er ein Kontaktgel aufgetragen hat. Der Ultraschallkopf stößt für den Menschen nicht hörbare Wellen aus, welche von den verschiedenen Geweben des Herzens und den blutgefüllten Gefäßen unterschiedlich reflektiert werden. Der Schallkopf nimmt diese wieder auf und gibt sie verstärkt an einen Monitor weiter, der ein leicht bewegliches schwarz-weiß Bild auf dem Monitor zeigt. Diese Untersuchung zeigt uns die Herzklappenfunktion und die Größe der Herzkammern sowie die Blutströme.
An dem Tag der Untersuchung dürfen Sie normal essen und trinken. Nehmen Sie auch normal Ihre Medikamente ein.

IV) Bein-Dopplersonographie mit (Farb-) Duplexsonographie

Ich möchte Sie über die Bein-Dopplersonographie mit Duplexsonographie aufklären. Bein-Dopplersonographie ist eine Ultraschalluntersuchung der Gefäße Ihrer Beine. Mit der zusätzlichen Duplexsonographie (duplex bedeutet doppelt) kann man auch die Blutflussgeschwindigkeit messen.
Es ist eine moderne, schmerzfreie, diagnostische Maßnahme. Sie sind keiner Strahlung ausgesetzt.
Sie dauert ca. 30 bis 40 Minuten.
Die Untersuchung wird im Liegen durchgeführt. Dafür müssen Sie Ihren Unterkörper frei machen.
Die Unterhose können Sie anbehalten.
Der Arzt/die Ärztin bewegt den Ultraschallkopf über Ihre Beine, nachdem sie/er ein Kontaktgel aufgetragen hat. Der Ultraschallkopf stößt für den Menschen nicht hörbare Wellen aus, welche von den blutgefüllten Gefäßen unterschiedlich reflektiert werden. Der Schallkopf nimmt diese wieder auf und gibt sie verstärkt an einen Monitor weiter, der ein leicht bewegliches schwarz-weiß Bild auf dem Monitor zeigt.
Zusätzlich kann eine Kompressionsultraschalluntersuchung durchgeführt werden. Dabei drückt der Untersucher/die Untersucherin auf das betroffene Gefäß um einen Verschluss auszuschließen.
Wenn notwendig wir gleichzeitig eine Duplexsonographie durchgeführt, wobei zusätzlich die Gefäßwand und der Verlauf der Blutgefäße (in Farbe) sichtbar werden.

11) Kolostomie=Dickdarmausgang

Ich möchte Sie über die Kolostomie aufklären.
Kolostomie bedeutet Dickdarmausgang, genauer gesagt: eine künstliche Ausleitung des Dickdarms an die Hautoberfläche.
Der Eingriff dauert ca. 60 bis 90 Minuten.
Der Arzt/die Ärztin wir Ihnen unter Vollnarkose ein Stück des Dickdarms durch die Bauchdecke nach außen an die Haut annähen.

##

Das könnte Sie auch interesieren:
Buch mit Fragen zu den Hauptbeschwerden für 22 Diagnosen mit DD, also über 60 Themen.
Das 2. Buch: ISBN: 9-7837-5684-1172

Das 1. und 6. Buch sind Bücher zur selbstständigen,

Buch mit weiteren Fragen zu den Hauptbeschwerden für 22 Diagnosen mit DD, also über 60 Themen.

Das 3. Buch: ISBN: 9-7837-5684-5156

Sie finden alle Bücher der Reihe zum Bestehen der FSP in allen Buchhandlungen, online und auf Amazon unter Tifakidis

Buch mit Fragen zu den Hauptbeschwerden für noch weitere 15 Diagnosen mit DD, also über 45 Themen.

IBAN: 978-3-7568-5955-9

Einige Beispiele: 4. Buch

13) Pyelonephritis=Entzündung des Nierenbeckens und der Niere(n)

- Haben Sie Schmerzen beim Wasser lassen?
- Haben Sie eine Farbveränderung bemerkt?
- Müssen Sie mehr oder weniger Wasser lassen als üblich?
- Haben Sie Flankenschmerzen?
- Haben Sie Fieber?
- Haben Sie Schüttelfrost?
- Haben Sie erbrochen?
- Haben Sie vaginalen Ausfluss? (Bei Frauen)
- Leiden Sie an Nierenerkrankungen?
- Sind Sie sexuell aktiv?
- Benutzen Sie oft Feuchttücher nach der Toilette?
- Besteht eine Schwangerschaft?
- Leiden Sie an chronischen Erkrankungen?
- Hatten Sie je Harnsteine?
- Haben Sie Verstopfung?
- Mussten Sie lange im Bett verweilen?
- Wurde Ihnen in letzter Zeit ein Harnkatheter gelegt?
- Haben Sie Zungenbelag?
- Schäumt Ihr Urin sehr?
- Werden Sie leicht müde?
- Hat sich Ihr Appetit verändert?

DD: Zystitis, komplizierte Pyelonephritis, Appendizitis

14) tendinosis calcarea= Kalkschulter

Der Pat.leidet seit 3 Jahren an unerklärlichen Schmerzen an der Schulter re. Kein Unfall, keine OP am betroffenen Gelenk.

- Können sie die Schmerzen genauer beschreiben?
- Haben Sie ununterbrochen Schmerzen?
- Strahlen die Schmerzen aus? (Nacken, Kopf, Arm)
- Hatten Sie einen Unfall?
- Überbelasten Sie Ihre Schulter?
- Haben Sie auch nachts Schmerzen?
- Können Sie Ihren Arm frei bewegen?
- Haben Sie eine Lähmung oder ein Taubheitsgefühl?
- Helfen Schmerzmittel?
- Haben Sie Kraftverlust?
- Haben Sie ein gefährliches Hobby?
- Haben Sie Sensibilitätsstörungen/Gefühlsstörungen bemerkt?
- Haben Sie im Liegen oder/und bei Bewegung Schmerzen?
- Haben Sie Gelenkderformitäten bemerkt?
- Haben Morgensteifigkeit?
- Haben Sie ein Klacken während der Armbewegung bemerkt?
- Haben Sie ein Kribbeln bemerkt?

DD: frozen shoulder, HWS, Rotatorenmanschenttenruptur, Arthrose ACG

Lightning Source UK Ltd.
Milton Keynes UK
UKHW020733161222
414034UK00018B/1434

9 783756 808755